PAR

ANNIE GROOVIE

Merci à
Mariloup Wolfe,
une pétillante
personnalité !

Merci aussi à
Florence Jolicœur,
Jean-Louis Jolicœur,
Hélène Laberge,
Claire Montcalm,
Roch Montcalm et
Lucie Filiatrault

SMACK !

EN VEDETTE :

LÉON › NOTRE SUPER HÉROS

Le surdoué de la gaffe,
toujours aussi nono et aventurier.

LOLA ›

La séduisante au grand cœur.
Son charme fou la rend irrésistible.

LE CHAT ›

Fidèle ami félin plein d'esprit.
On ne peut rien lui cacher.

APPARITION SPÉCIALE :

Voici **GUSTAVE** le chimpanzé.
Il se cache quelque part dans le livre.
Saurez-vous le trouver ?

AMIS LECTEURS, RE-BONJOUR !

Normalement, si je me fie au calendrier de production, nous devrions être précisément en novembre, c'est-à-dire juste avant les fêtes. Dans ce cas, si tout s'est passé comme prévu, il serait plus qu'à propos de vous souhaiter un DÉLIRANT temps des fêtes, rempli de joie, de belle neige et de sucreries *gourmandes* !

Ah, le temps des FÊTES, quelle période magnifique, n'est-ce pas ? C'est à ce moment qu'on refait le plein d'ÉNERGIE afin d'être en meilleure forme pour affronter le plus dur de l'HIVER. C'est pourquoi on se repose, on MANGE, on visite sa parenté, on MANGE encore et on va jouer dehors ! Et s'il fait trop *froid* ? Euh... eh bien, on peut toujours lire un bon livre !

Le temps des FÊTES, c'est aussi et surtout plusieurs jours de CONGÉ, ce qui n'est pas rien. Il faut donc en profiter à fond !

Sur ce, joyeuses fêtes, embrassez toute la famille de ma part et AMUSEZ-vous bien !

Annie Groovie

Table des matières

Les professeurs sont
moralisateurs. Ils nous
donnent toujours un
tas de leçons !

PROMENADE MACABRE

MEILLEURE CHANCE LA PROCHAINE FOIS...

SACRÉS SACS !
Je viens d'acheter ce sac à sacs !
Très pratique pour ranger tous mes sacs en plastique.
Par contre, je sens qu'il va se remplir vite...
!
Il va me falloir un sac à sac à sacs !
Puis, un sac à sacs à sac à sacs...
Hummmm... pas sûr d'avoir fait un si bon achat...

TOUT UN RÉCIT !

PAUVRES CHATS...
Léon, tu manges du poisson ?
?
Non. J'essaie de me mettre dans la peau d'un chat...
Et puis, c'est cool, non ?
Beurk ! Pauvres vous, je ne sais pas comment vous faites pour manger ça !
15

TOP SECRET

Allô ! Qu'est-ce que tu fais ?
J'écris dans mon journal intime.
Je peux le lire ?
Mais non, c'est secret.
Pourquoi tu l'écris, alors, si tu ne veux pas qu'on le lise ?
?

HAUT SECOURS...

TRISTE RÉALITÉ

Ça va pas ?

Bof.

Qu'est-ce qu'il y a ?

Je ne suis qu'un dessin.
Je ne suis pas réel.

Ouch, tu m'as pincé !

Alors, tu vois bien
que tu es réel !

GRAND EXPLORATEUR

TEL EST PRIS QUI CROYAIT PRENDRE !

Pause
pub

Les bas Nanes

En vente dans toutes les bonnes épiceries!

Les bas préférés des singes!

EXPÉRIENCE TRIPPANTE

COMMENT TRANSFORMER VOS VIEILLES PIÈCES EN SOUS NEUFS !

Saviez-vous qu'il en coûte un peu plus d'un cent pour fabriquer un bon vieux sou noir ? En avez-vous plein les poches, ou votre petit cochon déborde-t-il ? Et si vous décidiez de les revendre au prix qu'ils valent vraiment pour faire fortune... À bien y penser, ce n'est pas fou du tout comme idée ! Cependant, vous trouvez que vos pièces sont sales, sinon complètement dégueu ? Ne vous en faites pas. Voici une expérience trippante qui transformera vos vieilles pièces en sous neufs !

1. Allez fouiller dans votre réfrigérateur pour trouver de la boisson gazeuse. Il y en a de la brune? Parfait ! C'est ce dont vous avez besoin. Vous n'en avez pas ? Courez au dépanneur le plus près pour vous en procurer (en n'oubliant pas, bien sûr, de regarder des deux côtés de la rue avant de traverser !).

2. Une fois munis de cette substance collante et pleine de sucre, versez-la dans un petit bocal en plastique, en verre, en céramique, peu importe. C'est fait ? Merveilleux ! Plongez maintenant votre monnaie dans le bocal. Il ne faut pas en mettre trop en même temps. Attention à ce que les pièces ne s'empilent pas les unes sur les autres comme des sardines dans une boîte.

3. Que faire maintenant ? Il faut patienter ! Le processus prendra une journée pour les pièces qui ne sont pas trop sales et deux ou trois jours pour celles qui sont vraiment souillées. En attendant, vous pouvez en profiter pour relire vos numéros précédents de *Délirons avec Léon* ou aller jouer dehors !

4. Lorsque le temps requis est écoulé, vous pouvez retirer la monnaie du liquide brun. Voilà ! Vous avez des pièces sans rouille, sans saleté, des sous neufs, quoi ! Ouf ! Imaginez l'effet de cette boisson brune pétillante sur votre estomac ! Si c'est assez puissant pour nettoyer du métal, ça ne doit pas être très, très bon pour la santé.

Vous êtes maintenant prêts à conquérir le monde de la monnaie ! Un dernier conseil : n'oubliez pas de rincer vos sous noirs à l'eau avant de les mettre dans vos poches.

LE FURET

Ce que vous devez savoir pour faire de cette drôle de petite bête votre nouvel ami !

Avec ses courtes pattes, son corps allongé, ses yeux ronds, ses petites oreilles et ses longues moustaches, le furet a tout pour séduire. Mais saviez-vous qu'il appartient à la même famille que la mouffette, celle des mustélidés, et qu'il peut lui aussi dégager des odeurs, disons-le, plutôt fortes ? Une chance que cela lui arrive moins souvent qu'à sa cousine rayée ! Autrefois, le furet était surtout recherché pour sa fourrure, et on l'utilisait également pour la chasse aux lapins. Aujourd'hui, c'est avant tout un animal de compagnie espiègle et affectueux au joli minois.

Comment faire pour l'amadouer ?

Vous arriverez à créer un premier lien avec lui en le «prenant par l'estomac»... c'est-à-dire en lui donnant à manger, car cet animal est très gourmand ! Au début, pour l'apprivoiser, offrez-lui de petits morceaux de poulet bouilli ; c'est un truc infaillible pour qu'il ne veuille plus se séparer de vous.

Les caresses sont très importantes, car elles habituent le furet à être touché. Si vous ne lui en donnez pas dès son jeune âge, il risque de développer des comportements de bête sauvage.

Que mange le furet ?

Ce petit animal est carnivore, donc il consomme principalement de la viande. On peut d'ailleurs lui donner de la nourriture pour chat.

Il est important de faire manger son furet deux ou trois fois par jour. Il est malheureusement difficile de savoir quelle quantité précise de nourriture répond à ses besoins. Petit truc : juste avant l'heure de son repas, vérifiez s'il n'a pas enfoui des restes dans un coin de sa maison. Si c'est le cas, réduisez les portions, jusqu'à ce que vous ne trouviez plus rien dans son repère. Ah, oui ! Vous constaterez rapidement que le furet ne cache pas seulement des aliments : il peut même vous subtiliser un de vos vieux bas sales !

Comme gâterie ou récompense, vous pouvez lui donner un jaune d'œuf, un morceau de fromage blanc ou un fruit sucré. Il ne pourra y résister !

Faut-il lui installer une maison?

Oui. La cage qui accueille le furet doit être suffisamment grande pour qu'on y place des équipements et des jouets qui lui permettront de bouger. Il est aussi important de lui aménager un espace douillet où il pourra se blottir durant ses moments de repos. Il ne faut pas non plus oublier son coin toilette! Le furet est naturellement propre, et il dépose toujours son urine et ses excréments au même endroit. Ce sera facile de l'habituer à utiliser un bac à litière, comme le font les chats.

Est-il possible de faire cohabiter un furet avec un autre animal?

Oui, sauf si cette bête est une proie potentielle pour lui. Ne laissez surtout pas un rongeur à sa portée, car il n'en fera qu'une bouchée! La cohabitation avec un chien peut être très agréable, sauf si ce dernier a un instinct de chasseur. Quant au chat, il doit être, comme le furet, très jeune lorsque vous les présenterez l'un à l'autre pour qu'ils puissent s'apprivoiser. S'ils se connaissent bien, ils s'amuseront ensemble. Mais, par précaution, il ne faut jamais les laisser sans surveillance... Si vous partez, assurez-vous de mettre votre furet dans sa cage pour ne pas avoir de mauvaises surprises au retour!

Voilà! Maintenant, vous n'avez plus qu'à convaincre vos parents que le petit furet de l'animalerie du coin sera le prochain animal qui entrera dans la maison... Il est si mignon!

Sources:
Bartuschek, Lutz, *Furets*, Hachette Pratique, Paris, 2005, 63 p.
Tremblay, Manon Dr, *Nos amis les animaux: le furet*, Le jour Éditeur, Montréal, 2005, 205 p.

Trouvez-vous parfois que votre chambre manque de personnalité? Êtes-vous tannés de voir tous les jours le vieux bureau tout défraîchi ayant appartenu à votre grand-père? Les affiches et les photos que vous avez collées sur les murs ont-elles les coins qui retroussent? Eh bien, lisez ce qui suit et vous pourrez donner un nouveau look super cool à vos objets les moins *funky*!

1re étape: Choisissez l'objet que vous voulez redécorer. Idéalement, trouvez-en un qui a une surface lisse, comme le dessus d'une table de travail, des cadres pour photos ou encore l'abat-jour de votre lampe de chevet.

2e étape: Demandez l'accord de vos parents! C'est bien important que vous leur soumettiez votre projet AVANT de le faire. Peut-être qu'ils sont attachés à un de ces objets et qu'ils ne voudront pas que vous le modifiiez.

3e étape: Vous avez eu le OK de vos parents? C'est l'heure de trouver votre matériel. Des revues, des journaux, des circulaires: ramassez toutes les publications que vous pouvez trouver dans lesquelles vous pourrez découper à votre guise.

4e étape: Découpez toutes les images que vous trouvez cool et, surtout, essayez de prévoir comment vous les agencerez. C'est le temps d'être imaginatifs!

5e étape: Commencez votre montage. Enduisez les illustrations que vous avez choisies de vernis colle et disposez-les, les unes après les autres, sur l'objet que vous décorez, selon un agencement qui vous plaira.

Voilà! Vous avez complètement transformé votre objet. Maintenant, vous n'avez qu'à attendre les commentaires de vos amis, qui se demanderont où vous avez déniché cette lampe ou ce bureau super ultra-cool!

Énigmes visuelles

1. Un G o f f r e - f o r t

2. 100

1 0 0 c i b l e

3.

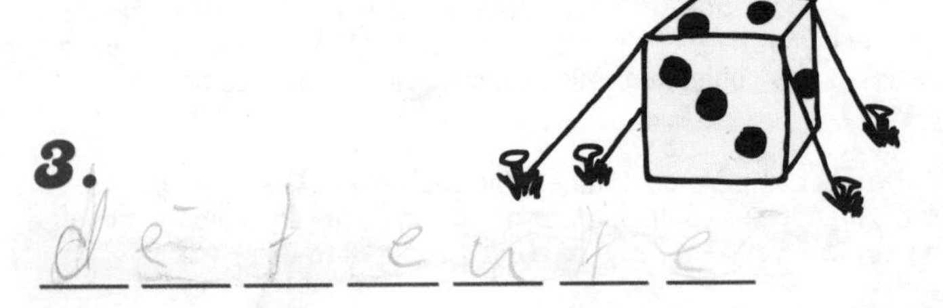

d é f r e u t e

Réponses à la page 84

4. Un ___ ___ ___ ___

___ ___ ___ ___ ___ ___ ___ ___ ___

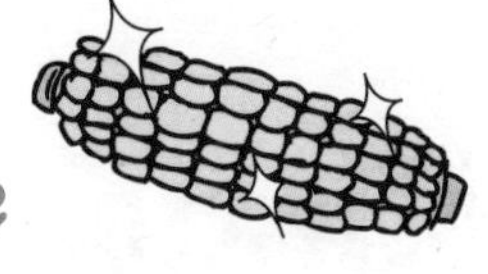

5. Une

___ ___ ___ ___ ___ ___ ___ ___

6. ___ ___ ___ ___ ___ ___ ___

7. Une ___ ___ ___ ___ ___

___ ___ ___ ___ ___ ___

La réflexion de Léon

Je déteste les
réveille-matin: ils
m’empêchent toujours
de dormir !

Elle est bonne !

Un garçon est en train de dresser sa tente dans la cour de la maison familiale lorsque sa mère revient du travail. Elle lui demande ce qu'il fait. Triste, il lui répond que le remplaçant à l'école lui a dit qu'il avait un nom à coucher dehors...

Le Chat veut se faire une rôtie au beurre de pinottes, mais Léon l'en empêche. Curieux, le Chat lui demande pourquoi. Léon lui répond :
« Tu ne peux pas prendre le beurre de pinottes, car il est à Rachid. »

Le petit Zak est bien content d'avoir une nouvelle sœur. Sa maman lui dit qu'elle doit changer le bébé, car il a mouillé sa couche. Elle quitte la pièce, puis elle revient. Zak reste muet pendant un moment, puis il lance :
« Maman, je crois que tu t'es trompée.
— Comment ça ?
— C'est encore ma petite sœur que tu as dans les bras. »

« Je ne sais pas combien coûte le jus de raisin que Lola achète, mais il ne doit pas être donné ! s'exclame Léon.
– Pourquoi dis-tu ça ? lui demande le Chat.
– Si tu avais vu comme elle m'en a voulu quand j'en ai renversé sur sa robe blanche ! »

Mme Lalancette est furieuse. Hier, elle a attendu son propriétaire toute la journée, et il n'est jamais venu pour réparer sa sonnette. Le propriétaire se défend :
« Je suis passé en après-midi et j'ai sonné pendant plus de 10 minutes, mais elle ne m'a jamais ouvert la porte. »

Léon, Lola et le Chat sont dans un avion, prêts à sauter. Léon saute le premier, suivi des deux autres. Au bout d'un moment, Lola crie :
« OK, c'est le temps d'ouvrir nos parachutes !
– Zut, dit Léon, il me semblait bien que j'avais oublié quelque chose... »

Léon arrive à l'école avec deux gros flotteurs de piscine.
« Qu'est-ce ce que tu fais avec ça ? demande le Chat, curieux.
– Je veux être certain de ne pas couler mon examen ! lui confie Léon. »

Il était une fois...
Le temps des fêtes

Souvenirs d'enfance racontés par de joyeux aînés

Qui n'est pas excité lorsque Noël approche ? Deux semaines sans école, des réunions de famille, des cadeaux de toutes sortes et plein de sucreries à se mettre sous la dent! C'est vraiment une belle période de l'année où nous avons plusieurs occasions de nous amuser. Est-ce que le temps des fêtes a toujours été célébré ainsi? Nous avons demandé à nos experts en la matière de nous en parler.

Hélène (le bébé) et Florence (à droite) en compagnie de leur sœur Marie par une belle journée d'hiver. Peut-être attendent-elles impatiemment le père Noël…

Florence

À minuit, à l'église, il fallait écouter trois messes en latin! C'était très long. Je me souviens de m'être endormie et de m'être fait réveiller par ma mère.

Claire

Dans ma famille, nous ne fêtions pas Noël. C'était le jour de l'an qui était la grande célébration. À Noël, nous allions à la messe de minuit et à la confesse (pour dire au curé ce que nous avions fait de mal), puis nous revenions et nous nous couchions. Il n'y avait pas de réveillon ni de cadeaux. Nous fêtions religieusement.

Chez nous, nous étions 16 enfants et nous partions ensemble pour aller à la messe de minuit, la veille de Noël. Nous étions tous entassés dans un traîneau tiré par des chevaux. Il faisait froid, et nous devions nous emmitoufler dans de grandes couvertures.

Jean-Louis

À l'époque, le principal moyen de transport durant l'hiver était le traîneau, que des chevaux devaient tirer pour le faire glisser sur la neige.

Et que se passait-il au jour de l'an ?

Jean-Louis

La veille du jour de l'an, nous étions tellement excités que nous ne dormions presque pas. Vers 3 ou 4 h du matin, nous entendions nos cousines et nos cousins qui arrivaient en traîneau en chantant très fort. C'était le moment de descendre ! Mon père devait bénir chaque enfant pour la nouvelle année. Nous pouvions ensuite aller dans le salon, où nos cadeaux nous attendaient.

Florence

Tout se passait dans la parenté. Le déjeuner avait lieu chez nous, et c'était incroyable, la quantité de nourriture qu'on y servait. C'était somptueux ! Tout avait été préparé à la main, des semaines et des semaines à l'avance.

Et puis les cadeaux ?

Jean-Louis

Une de mes sœurs habitait à Drummondville et, quand elle venait pour le jour de l'an, elle apportait toujours un baril de pommes. Mon père, lui, achetait une tresse de bananes. Cela faisait partie de nos cadeaux. En dessous de l'arbre, il y avait une assiette de bonbons pour chaque enfant. Mais attention, il fallait la prendre rapidement, sinon les autres enfants pouvaient nous la voler !

Roch

Moi, je me rappelle qu'à l'âge de quatre ans j'ai eu un cadeau, mais pendant trois jours seulement. J'ai compris plus tard que ma mère était allée le chercher chez ma tante Marie-Louise, qui était un peu plus riche et qui avait un petit garçon de mon âge. Ma mère m'a donc donné le camion qui appartenait à mon cousin, et j'étais le plus heureux des enfants ! Je voulais lui trouver une cachette pour ne pas que mes frères me le volent ; nous étions 17 enfants. Mais après trois jours, mon cadeau a disparu. Ma mère a dû le rendre à ma tante, car ce n'était qu'un emprunt.

Florence

Ma cousine Yvette, qui habitait en ville, nous envoyait à chaque Noël, à mes deux sœurs et à moi, un petit cadeau. Une année, elle m'a donné un livre d'histoire. Ce livre-là, je l'ai gardé toute ma vie, jusqu'à ce que je le perde dans un incendie. C'est dommage, car j'aurais bien aimé le montrer à mes petits-enfants !

Hélène

Il ne faut pas oublier la traditionnelle orange ! Pour nous, c'était très spécial de recevoir ce fruit, car nous n'en mangions pas le reste de l'année. Mon orange était si précieuse à mes yeux que je me faisais avoir chaque année : j'attendais tellement longtemps avant de me décider à la manger qu'elle finissait par pourrir !

Ouais… Tout a bien changé depuis. De nos jours, on reçoit souvent trop de cadeaux. Et des fruits, on en a plein le réfrigérateur ! Une orange en cadeau… Comment pensez-vous que vous réagiriez si on vous en offrait une ? Comme dirait ma grand-mère, c'est l'intention qui compte !

À VOTRE SERVICE !

AH, LE PROGRÈS !

GÉNIAL ?
Regarde mon nouveau téléphone !
Wow ! Il est vraiment petit!
Oui, c'est génial.
Dring !
Dring !
Euh... tu ne réponds pas ?
Je voudrais bien, mais le bouton est trop petit...
!
Il te faudrait un doigt miniature...

LONGUE VIE À LÉON

Wow!

Grâce au progrès de la science, je vais vivre très vieux.

C'est vraiment super, je vais pouvoir faire plein de choses comme...

Euh...

Euh...

En tout cas, j'ai le temps d'y penser!

Y A DES LIMITES !

MONTER, DESCENDRE...

Les vitres électriques, c'est trop cool !

En haut, en bas !

En haut, en bas !

Je pourrais faire ça toute la journée...

... euh, j'ai FAIT ça toute la journée !

FASCINANT !
Lola, regarde ce que je me suis acheté !
Qu'est-ce que c'est ?
Un GPS.
Un quoi ?
Un GPS. Avec ça, je sais où je me trouve.
Et tu es où, là ?
Euh... exactement ici !
Vraiment fascinant...

LOIN, LOIN...

Ah, la conquête de l'espace !
C'est vraiment excitant.
Toutes ces nouvelles galaxies à découvrir...
... et peut-être une autre planète, comme la nôtre !
Je me demande s'ils ont du chocolat chaud là-bas ?
Sinon, j'y vais pas.

À VENDRE !
Ah, Internet !
C'est vraiment trop génial.
Je peux acheter tout ce que je veux...
... sans me déplacer !
Ouin, je me demande bien ce que je vais faire avec tout ça...
Je pourrais tout revendre sur Internet !

QUE FAIRE DE VOS 10 DOIGTS À PART VOUS LES METTRE DANS LE NEZ...

CRÉEZ UN AVION D'ESCADRON EN PAPIER !

VOICI COMMENT FAIRE :

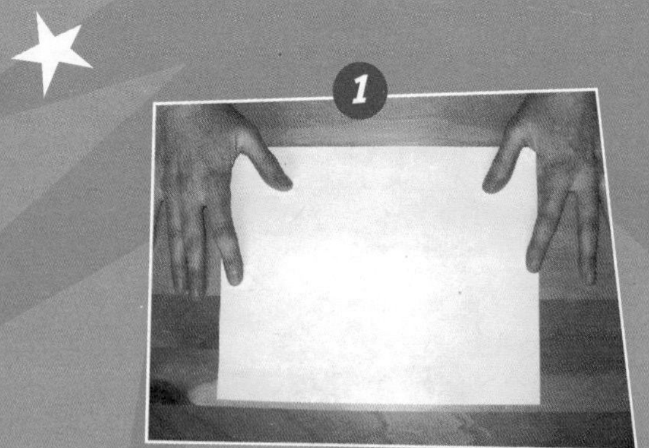

Prenez une feuille de papier de 8,5 x 11 pouces, de préférence sans trous pour éviter que votre avion tourbillonne inutilement et s'écrase au sol.

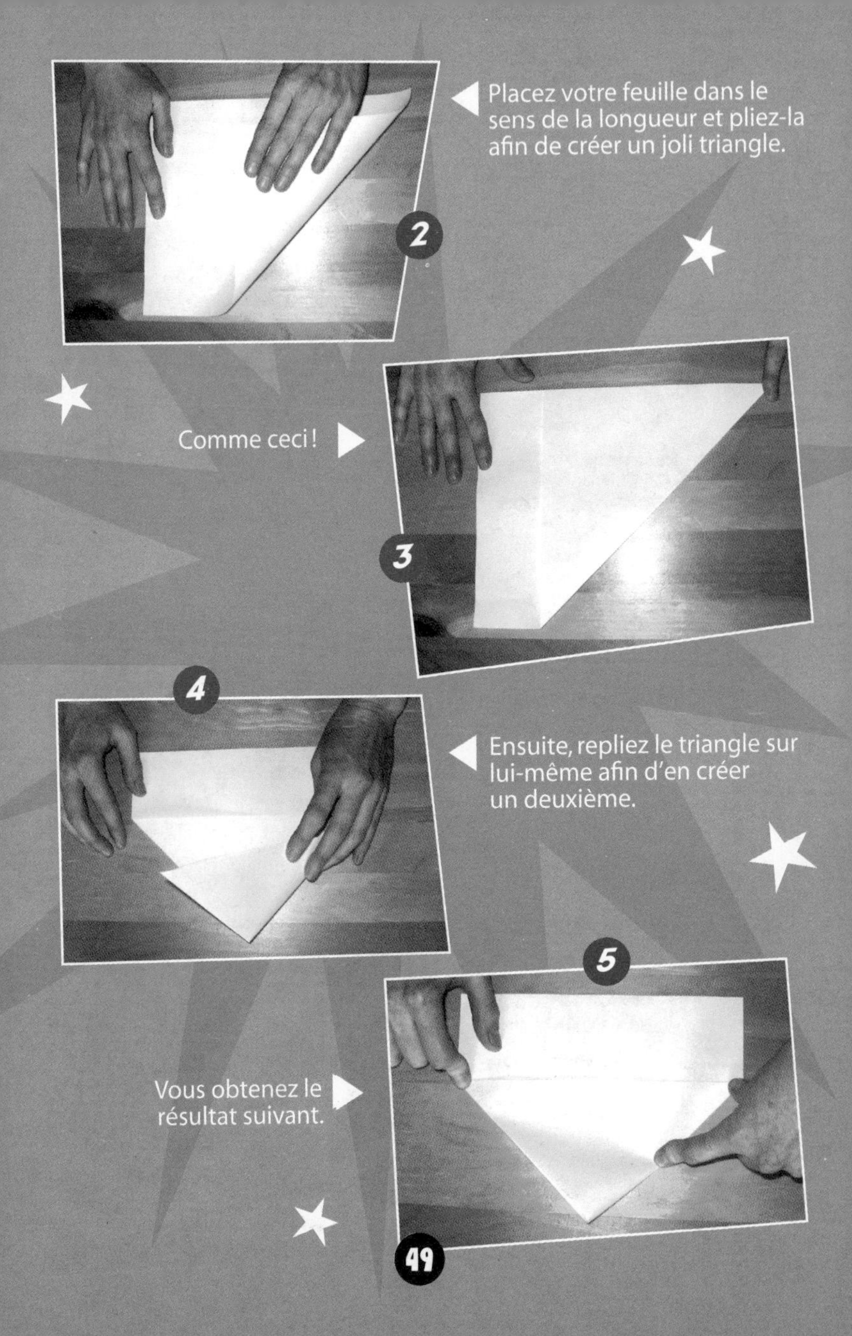
Placez votre feuille dans le sens de la longueur et pliez-la afin de créer un joli triangle.
2
Comme ceci !
3
4
Ensuite, repliez le triangle sur lui-même afin d'en créer un deuxième.
5
Vous obtenez le résultat suivant.

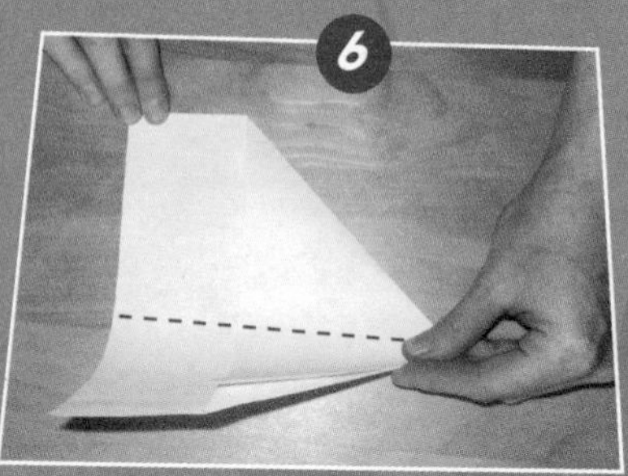

Imaginez une ligne passant au centre de la feuille afin de pouvoir plier l'avion en deux vers l'intérieur. Il faut que le pli soit parfait, alors si vous portez des lunettes, ajustez-les bien sur votre nez !

Exactement comme ceci !

8

À cette étape-ci, l'avion devrait ressembler à la magnifique photo ci-contre. Il commence à prendre forme, mais il vous reste encore du travail à faire avant qu'il se transforme en chef d'escadron !

Créez maintenant une première aile, en pliant une moitié du papier sur le côté...

... puis une deuxième, en faisant la même chose de l'autre côté.

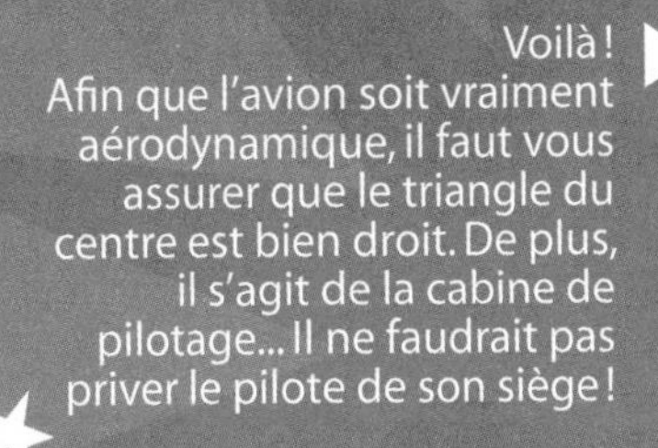

Voilà !
Afin que l'avion soit vraiment aérodynamique, il faut vous assurer que le triangle du centre est bien droit. De plus, il s'agit de la cabine de pilotage... Il ne faudrait pas priver le pilote de son siège !

Il ne vous reste plus qu'à décorer votre avion à votre goût en dessinant les ailerons, la cabine du pilote, en ornant les ailes, etc. N'hésitez pas à y mettre de la couleur pour en faire un avion distingué.

Lancez-le maintenant pour observer sa portée ! Se rendra-t-il jusqu'au professeur de math ou jusqu'à votre voisin de bureau ?

TEST : CONNAISSEZ-VOUS LES PERSONNAGES DE BD ?

1. Lequel de ces personnages n'a pas de chien pour compagnon ?

a) Obélix
b) Tintin
c) Rantanplan
d) Le Grand Schtroumpf

2. Dans laquelle de ces BD l'action se déroule-t-elle à notre époque ?

a) *Boule et Bill*
b) *Astérix et Obélix*
c) *Les Tuniques bleues*
d) *Léonard*

3. Quelle est la BD dont les personnages principaux sont trois filles ?

a) *Gaston Lagaffe*
b) *Les Nombrils*
c) *Johan et Pirlouit*
d) *Archie*

4. Qui tire au pistolet plus vite que son ombre ?

a] Mafalda
b] Le Capitaine Haddock
c] Lucky Luke
d] Achille Talon

5. Lequel de ces personnages n'est pas un petit garçon ?

a] Titeuf
b] Azraël
c] Cédric
d] Le Petit Spirou

6. Astérix, Obélix et leurs amis gaulois n'ont peur que d'une chose. Laquelle ?

a] Que le ciel leur tombe sur la tête
b] Que les Romains les attaquent
c] Que les sangliers disparaissent
d] Que leur barde se mette à chanter

7. Quel est le passe-temps préféré de Kid Paddle ?

a] Le ski de fond
b] Les jeux vidéo
c] La lecture
d] Le yoga

8. Quel est le métier de Léonard ?

a] Matelot
b] Soudeur
c] Inventeur génial
d] Chauffeur d'autobus

9. Où vivent les Schtroumpfs ?

a) Dans un chalet au bord de la mer
b) Dans un immeuble à logements
c) Dans un tronc d'arbre
d) Dans des champignons

10. Qui n'appartient pas à l'univers de Tintin ?

a) Milou
b) Gargamel
c) Le Capitaine Haddock
d) Le Professeur Tournesol

Réponses à la page 84

RÉSULTATS DU TEST

Entre 8 et 10 bonnes réponses :
Par Toutatis ! Vous êtes de vrais fans de bandes dessinées ! Vous en avez lu un grand nombre et vous avez retenu le gros des histoires. Si vous passez par la Gaule, allez voir Panoramix : il vous donnera un peu de potion magique !

Entre 4 et 7 bonnes réponses :
Bien schtroumpfé ! Mais il serait peut-être bon de schtroumpfer quelques BD et d'approfondir vos connaissances, histoire de connaître, au moins, les classiques du genre ! Comme le dit si bien le Schtroumpf à lunettes : c'est en schtroumpfant qu'on devient schtroumpferon !

3 bonnes réponses ou moins :
Mille millions de mille sabords de tonnerre de Brest ! Une bande dessinée, c'est cette espèce de grand livre avec des cases et des dessins, vous savez ? Ça ne vous dit rien ? Allez, marins d'eau douce, un peu de nerf ! À la bibliothèque, et que ça saute !

Saviez-vous ça ?

Il fait plus froid au pôle Sud qu'au pôle Nord.

L'histoire a recensé la plus basse température sur Terre au pôle Sud. Le 24 août 1960, à la station russe Vostok, il a fait -88,3 °C ! Brrrrrrrrrr....... le père Noël a bien fait de choisir le pôle Nord !

Cela s'explique par le fait qu'au Nord, le territoire est constitué d'un océan et de petites îles, alors qu'au Sud, c'est un continent. Dans les faits, les continents se réchauffent plus vite que les océans, mais leur température baisse rapidement. Les océans, eux, se réchauffent plus lentement, mais ils conservent leur chaleur plus longtemps. Ce phénomène se nomme continentalité.

Portrait d'une Québécoise célèbre...

Qui pourrait croire que Mariloup Wolfe, l'interprète de la pétillante Mariane dans *Ramdam*, a déjà voulu s'enfuir à l'occasion d'un spectacle de fin d'année, terrorisée à l'idée de monter sur scène? C'est pourtant la vérité! Lisez ce qui suit et vous en apprendrez davantage sur cette jeune femme qui, en plus d'être comédienne, porte maintenant le chapeau de réalisatrice.

Mariloup voit le jour à Montréal le 3 janvier 1978 et grandit dans le quartier Plateau-Mont-Royal. Enfant, elle est très timide et demeure dans les jupes de sa mère. Comme quoi on peut toujours changer!

Adolescente, elle fréquente l'école FACE, où elle découvre la musique, les arts plastiques et les arts dramatiques. C'est là qu'elle fait ses premières armes en tant que comédienne, dans des pièces de théâtre. Encouragée par son grand frère, elle commence à faire de la figuration, c'est-à-dire qu'elle fait de courtes apparitions dans des films et des séries américaines. Pour Mariloup, cette école secondaire spécialisée est le lieu où elle apprend à se dégêner et surtout à avoir davantage confiance en elle.

Photo : Pascal L'Heureux

Mariloup en plein travail sur le plateau de la première saison de *Fais ça court!* (à l'automne 2007), une émission qu'elle animait

Mariloup touche pour la première fois à la réalisation au cégep ; elle a alors un véritable coup de foudre. Elle trouve encore plus stimulant de travailler derrière la caméra que devant celle-ci. C'est maintenant clair dans sa tête : elle ne sera pas comédienne, mais réalisatrice!

Durant ses études en cinéma à l'université, la jeune femme recommence peu à peu à obtenir de petits rôles à la télé. Elle passe quelques auditions et décroche des rôles plus importants dans différentes séries télévisées comme *Tag*, *2 frères* et, enfin, *Ramdam*, en 2000. Finalement, peut-être que jouer lui plaît plus qu'elle le croyait...

C'est son personnage de Mariane dans *Ramdam* qui la fait connaître du grand public. Toutefois, pendant qu'elle participe à cette émission, Mariloup continue ses projets de réalisation. En 2001, elle tourne un film de deux minutes, *Fly Fly*, qui ira dans plusieurs festivals internationaux et qui lui permettra de se faire remarquer en tant que cinéaste.

Elle est plutôt courageuse, Mariloup! Voyager à dos de chameau, ce ne doit pas être évident...

Mariloup en compagnie de deux petites Indiennes lors de son voyage en Asie

Parallèlement à *Ramdam*, Mariloup collabore aux séries télé *Jean Duceppe*, *450, chemin du Golf* et *C.A.*, ainsi qu'aux longs métrages *C.R.A.Z.Y.*, en 2005, et *À vos marques... Party!* en 2007. Par ailleurs, elle réalise quelques épisodes de l'émission pour ados *Kif-kif*, plusieurs publicités, en plus d'un autre court film intitulé *Trois petits coups*, dans lequel joue son mari, Guillaume Lemay-Thivierge. Eh oui! Notre Mariloup nationale a uni sa destinée à celle du beau comédien au cours d'un voyage à Las Vegas!

Présentement, elle termine la réalisation du film *Les pieds dans le vide*, qui devrait prendre l'affiche à l'été 2009, tout en continuant de prendre part au tournage de la dernière saison de *Ramdam*. Et que fera-t-elle lorsque cette série sera finie? Parions qu'elle a plus d'un projet en tête!

Questions à Mariloup, en rafale

En quoi consiste le métier de réalisateur ?
Personnellement, je le compare à celui de chef d'orchestre, car il s'agit de diriger toute une équipe dont chaque membre joue d'un instrument précis. C'est le réalisateur qui a la vue d'ensemble du film. C'est lui qui parle avec les acteurs et qui leur dit quoi faire. C'est lui qui décide, avec le caméraman (qu'on appelle directeur photo), quelles images on verra. Et il s'entretient avec les personnes qui s'occupent du décor pour créer un univers propre à l'œuvre. En résumé, mon travail, c'est de partir d'un scénario et d'y apporter ma propre vision en transposant le récit en images.

Quels sont les projets que tu as préférés jusqu'à maintenant ?
C'est certain que *Ramdam* est une émission très spéciale pour moi, car ça fait plus de sept ans que j'y participe. J'adore l'équipe; nous sommes comme une grande famille. J'aime également jouer Mariane, car sa personnalité est très loin de la mienne. J'étais beaucoup plus sage qu'elle à son âge ! Sinon, on peut dire que mon film *Fly Fly* a été mon projet chouchou, mon coup de cœur de cinéaste.

Est-ce que tu as une idole ?
J'aime ce que fait le réalisateur Podz. Il a tourné les séries *Les Bougon*, *Minuit, le soir* et *C.A.* Je trouve qu'il fait un travail remarquable et qu'il a beaucoup apporté à la télévision dans les dernières années. Il a une vision qui lui est propre.

Quel est ton rêve ?
Pendant longtemps, mon objectif a été de faire un long métrage avant d'avoir 30 ans... J'ai eu 30 ans le 3 janvier 2008, et mon rêve s'est réalisé juste après, car j'ai tourné l'été dernier mon premier long métrage ! J'en suis extrêmement fière et j'ai bien hâte qu'il se retrouve sur les écrans.

As-tu un conseil à donner ?
Les métiers de comédienne et de réalisatrice sont très beaux; ils font rêver... et plein de gens veulent les pratiquer. Mon conseil serait donc d'être patient et surtout d'avoir un plan B. Trouvez autre chose qui vous passionne, car il n'est pas certain que vous atteindrez vos objectifs rapidement, étant donné la compétition féroce. Mais il ne faut pas vous décourager. Foncez ! Il y a de la place pour tout le monde !

terrain de jeux

VOUS TROUVEREZ LES RÉPONSES À LA PAGE 84.

TROUVEZ LA BONNE PAIRE !

Retrouvez, parmi tous ces personnages, ceux de Léon et de Lola qui correspondent exactement à la paire ci-dessous.

Le mot gagnant !

Comment le trouver ? Voici quelques indices pour vous aider : le total de ses points* est plus bas que 40 ; ce total est impair, et lorsque les deux chiffres qui le composent sont multipliés l'un par l'autre, on obtient un multiple de 5. Quel est donc le mot gagnant ?

*La valeur des lettres est inscrite en rouge sous chacune d'elles.

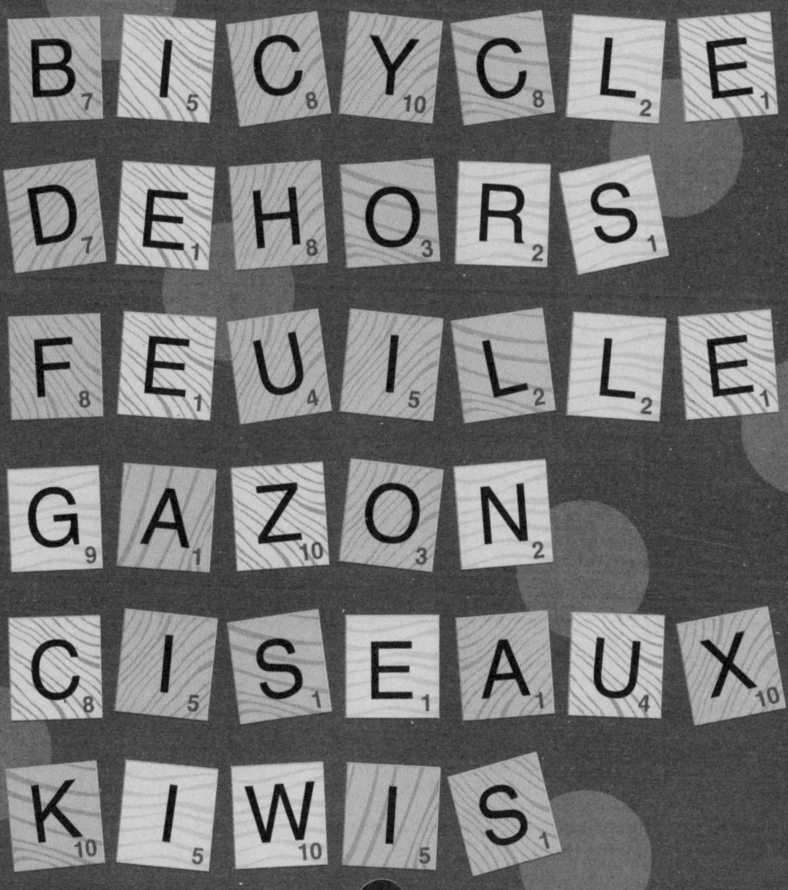

ATTENTION ADDITIONS !

Trouvez les chiffres manquants en additionnant ceux qui sont sur chacune des lignes horizontales et verticales. Le total de chaque ligne est inscrit au bout de celle-ci.

À la fin, si vous additionnez tous les chiffres manquants, le total devrait correspondre au nombre qui se trouve dans un cercle orangé. Bonne chance !

	+	+	+	+	+	+	+	
+	5		2	6	1		1	22
+		11	23	8		2	8	63
+	3	15		7	4	1	6	48
+	2	17	3	9	7	8	13	59
+	3	9	2		2	1	20	45
+	1		1	2	12	9	2	31
+	3	3	5		13	7		52
	22	63	48	59	45	31	52	

- **Le même chiffre peut se répéter deux fois sur la même ligne.**
- **Le zéro peut être utilisé.**

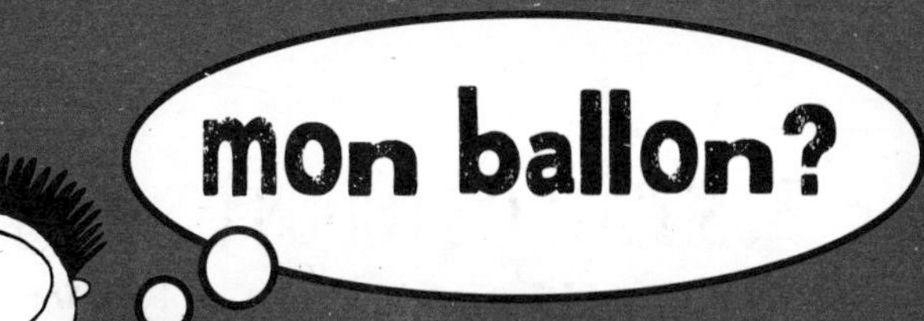
mon ballon?

RÉSOLVEZ CE RÉBUS ET VOUS SAUREZ
À QUEL CHAPEAU DE LA PAGE DE DROITE
IL CORRESPOND...

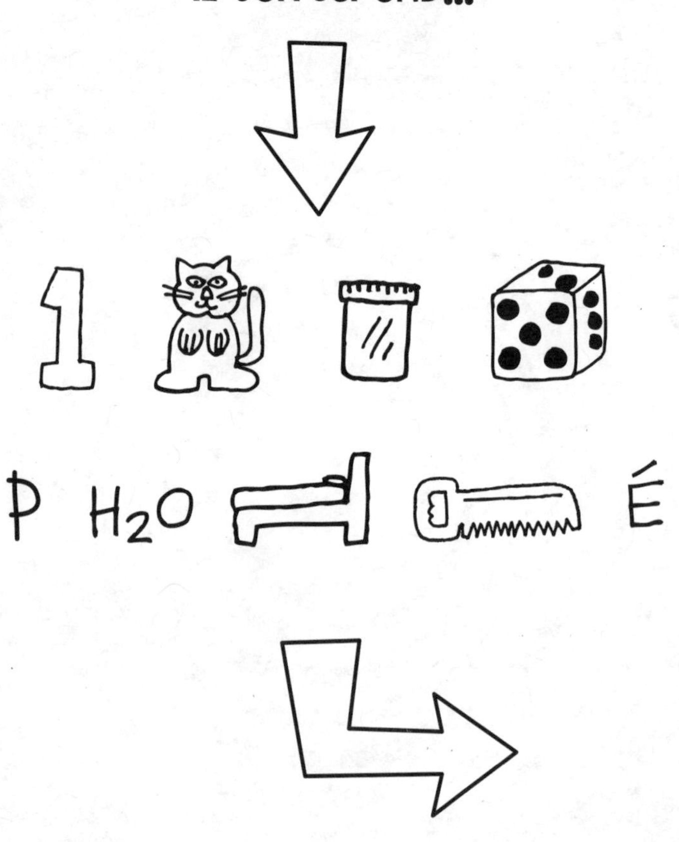

A
B
C
D
E
F
G
H
I
J
K
L
M
N
O

ASSOCIEZ CHAQUE EXPRESSION DE LÉON À L'ONOMATOPÉE QUI Y CORRESPOND.

1. 

A. 

2. 

B. 

3. 

C. 

4. 

D. 

5. 

E. 

6. 

F. MIAM !

AH, NON !

Par accident, Léon a renversé son pot d'araignées ! Hélas, elles se sont sauvées trop vite pour qu'il puisse les rattraper. Mais combien en avait-il ?

Je suis vraiment emballé !

AYEZ L'AIR INTELLIGENTS

en connaissant les différentes parties d'un avion !

Car il est toujours plus rassurant de savoir exactement dans quoi on embarque...

Avion de ligne

Objet volant identifié : appareil de transport qui sert à vous amener en vacances là où vos parents ont décidé d'aller !

Voici les différentes parties de ce monstre volant :

Aile : Elle est beaucoup plus grosse que celles des poulets et elle permet à l'appareil de conserver son équilibre dans les airs.

Aileron : Ce n'est pas le bébé de l'aile, mais une portion mobile de celle-ci qui permet à l'avion de tourner dans les airs.

Aileron compensateur : Le petit frère de l'aileron qui possède les mêmes caractéristiques que ce dernier.

Cabine de pilotage : Le lieu où travaillent les pilotes, doté d'une grande fenestration et d'une vue imprenable sur le ciel !

Compartiment passagers : Un lieu qui ressemble à une salle d'attente volante.

Dérive : Cet appareil ne sert pas à faire dériver les avions. Il effectue en fait la fonction contraire !

Feux de signalisation : Ces lumières ne sont pas là à titre décoratif. Elles servent à bien identifier les extrémités de l'avion.

Gouvernail de direction : Ce dispositif sert à diriger l'appareil. Très utile pour vous amener à bon port...

Gouvernail de profondeur : Étant donné qu'un avion est fait pour voler et non pour se promener au sol, ce gouvernail lui permet de se hisser dans les airs.

Hublot : Une petite fenêtre ronde à côté de laquelle tout le monde veut être assis.

Nez : C'est la partie avant de l'avion qui, contrairement au nez humain, ne peut pas attraper de rhumes...

Queue : Partie située à l'arrière qui, contrairement à la queue du renard, n'est pas poilue !

Réservoir de carburant : Il est plus gros que votre piscine et il sert à emmagasiner l'essence.

Soute à bagages : L'endroit où vous espérez que vos bagages ont été rangés par le personnel avant le départ, pour ne pas avoir de mauvaises surprises à l'arrivée.

Stabilisateur : C'est agréable de pouvoir boire quelque chose sans le renverser sur sa chemise quand on est en plein vol ! Remerciez pour cela cet instrument, qui assure la stabilité de l'avion.

Turboréacteur : Le moteur à réaction qui propulse l'avion en faisant beaucoup de bruit.

Volet d'atterrissage : Le cousin de l'aileron (c'est une grande famille) qui permet de modifier les conditions de vol.

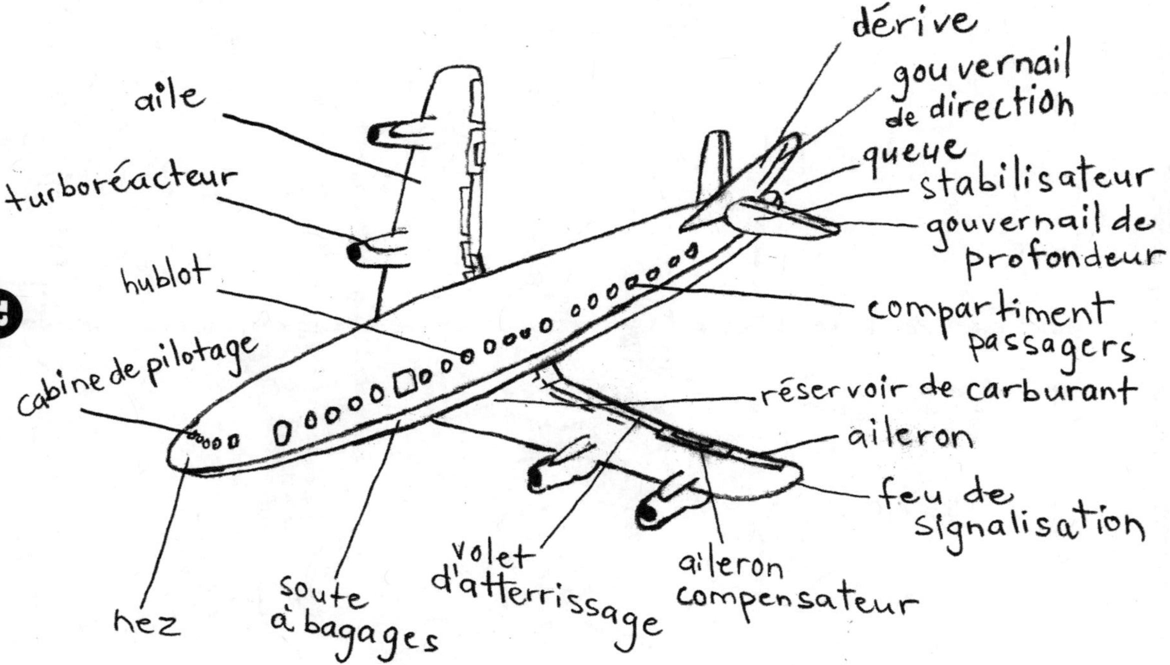

aile
turboréacteur
hublot
cabine de pilotage
nez
soute à bagages
volet d'atterrissage
aileron compensateur
dérive
gouvernail de direction
queue
stabilisateur
gouvernail de profondeur
compartiment passagers
réservoir de carburant
aileron
feu de signalisation

Oh ! un avion !
Ah ! Wow !
Vous ne réagissez pas ?
Euh... non, pourquoi ?
C'était un avion à réaction !
!!

Salut !
Je viens de finir
d'écrire un article.
Tu veux le lire ?
Oui, bien sûr.
Le

PREMIER RENDEZ-VOUS

ÇA VA DE SOI...
Les campeurs doivent trouver le temps long.
Toujours attendre comme ça...
Mais de quoi tu parles ?
?
Ben oui... tu sais...
... les campeurs, ils sont toujours dans l'attente !
!

CODE SECRET

EXERCEZ-VOUS À DEVENIR UN AGENT SECRET!

C'est le moment idéal pour tenter de décoder de grands mystères. Vous y avez sans doute déjà secrètement songé, alors tournez la page et saisissez l'occasion rêvée de foncer!

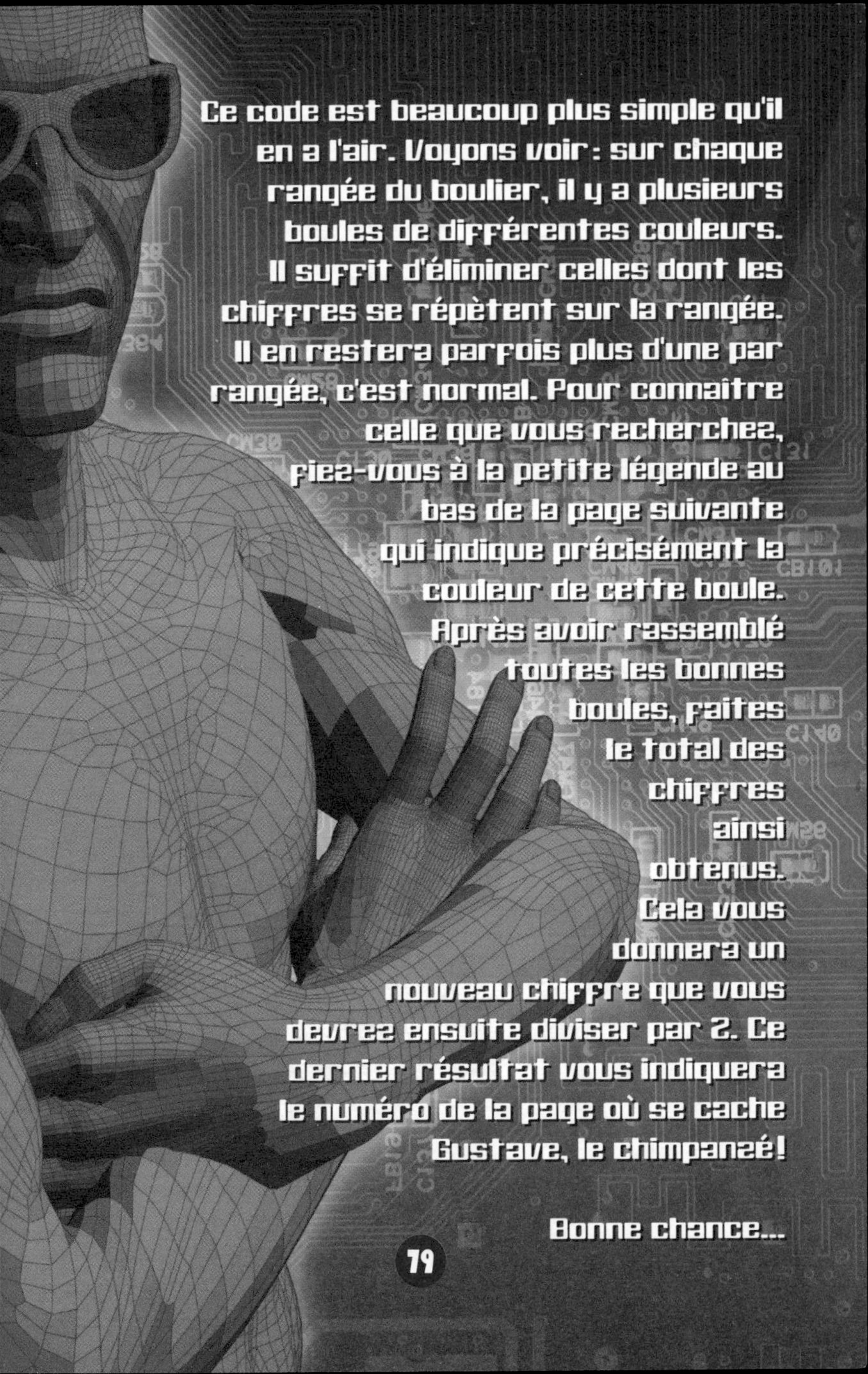

Ce code est beaucoup plus simple qu'il en a l'air. Voyons voir : sur chaque rangée du boulier, il y a plusieurs boules de différentes couleurs. Il suffit d'éliminer celles dont les chiffres se répètent sur la rangée. Il en restera parfois plus d'une par rangée, c'est normal. Pour connaître celle que vous recherchez, fiez-vous à la petite légende au bas de la page suivante qui indique précisément la couleur de cette boule. Après avoir rassemblé toutes les bonnes boules, faites le total des chiffres ainsi obtenus. Cela vous donnera un nouveau chiffre que vous devrez ensuite diviser par 2. Ce dernier résultat vous indiquera le numéro de la page où se cache Gustave, le chimpanzé!

Bonne chance...

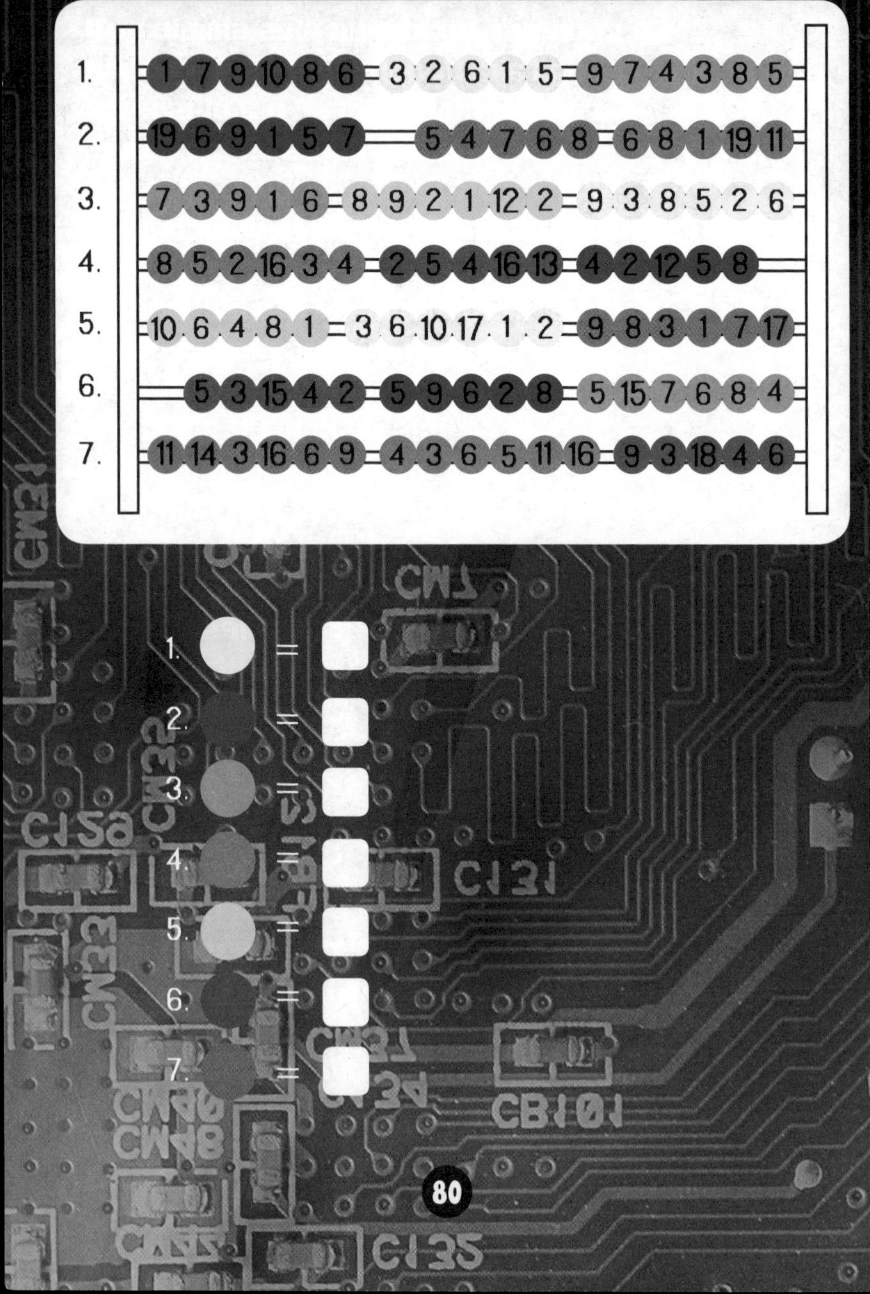
1. 1 7 9 10 8 6 = 3 2 6 1 5 = 9 7 4 3 8 5
2. 19 6 9 1 5 7 5 4 7 6 8 = 6 8 1 19 11
3. 7 3 9 1 6 = 8 9 2 1 12 2 = 9 3 8 5 2 6
4. 8 5 2 16 3 4 = 2 5 4 16 13 = 4 2 12 5 8
5. 10 6 4 8 1 = 3 6 10 17 1 2 = 9 8 3 1 7 17
6. 5 3 15 4 2 = 5 9 6 2 8 = 5 15 7 6 8 4
7. 11 14 3 16 6 9 = 4 3 6 5 11 16 = 9 3 18 4 6
1. =
2. =
3. =
4. =
5. =
6. =
7. =

Code secret

Ce code secret vous révèle à quelle page se cache Gustave, le chimpanzé...

Il ne vous reste plus qu'à attendre le prochain numéro de *Délirons avec Léon* afin de vérifier, à la page des solutions, si vous avez trouvé le bon code secret !

ANNIE GROOVIE À VOTRE ÉCOLE

EH OUI, ANNIE GROOVIE FAIT DES TOURNÉES DANS LES ÉCOLES !
VOUS TROUVEREZ TOUTE L'INFORMATION SUR LE SITE INTERNET
WWW.ANNIEGROOVIE.COM

À BIENTÔT PEUT-ÊTRE !

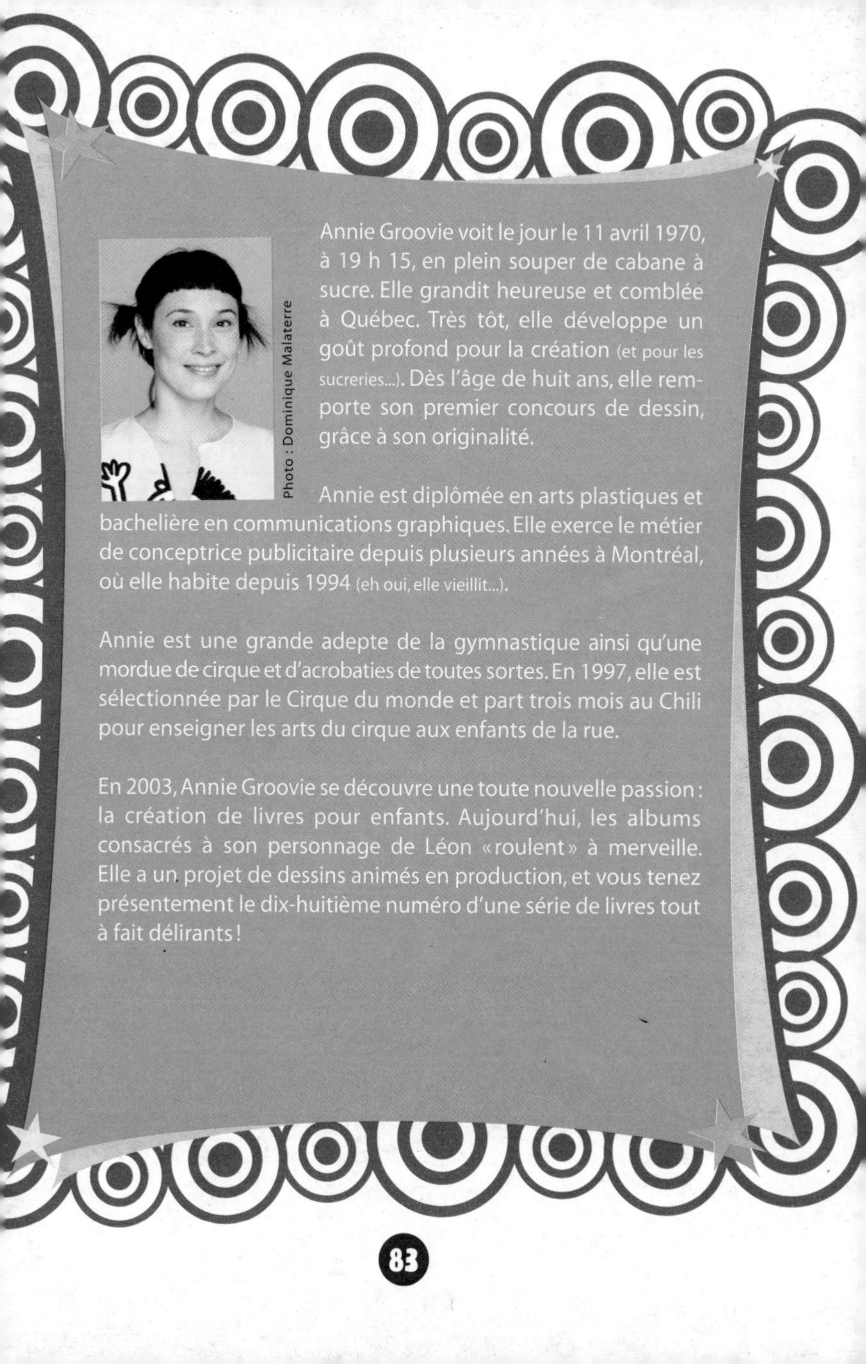

Photo : Dominique Malaterre

Annie Groovie voit le jour le 11 avril 1970, à 19 h 15, en plein souper de cabane à sucre. Elle grandit heureuse et comblée à Québec. Très tôt, elle développe un goût profond pour la création (et pour les sucreries...). Dès l'âge de huit ans, elle remporte son premier concours de dessin, grâce à son originalité.

Annie est diplômée en arts plastiques et bachelière en communications graphiques. Elle exerce le métier de conceptrice publicitaire depuis plusieurs années à Montréal, où elle habite depuis 1994 (eh oui, elle vieillit...).

Annie est une grande adepte de la gymnastique ainsi qu'une mordue de cirque et d'acrobaties de toutes sortes. En 1997, elle est sélectionnée par le Cirque du monde et part trois mois au Chili pour enseigner les arts du cirque aux enfants de la rue.

En 2003, Annie Groovie se découvre une toute nouvelle passion : la création de livres pour enfants. Aujourd'hui, les albums consacrés à son personnage de Léon « roulent » à merveille. Elle a un projet de dessins animés en production, et vous tenez présentement le dix-huitième numéro d'une série de livres tout à fait délirants !

SOLUTIONS

p. 62 : C-2

p. 64

5	4	2	6	1	3	1	22
5	11	23	8	6	2	8	63
3	15	12	7	4	1	6	48
2	17	3	9	7	8	13	59
3	9	2	8	2	1	20	45
1	4	1	2	12	9	2	31
3	3	5	19	13	7	2	52
22	63	48	59	45	31	52	

p. 69 : 21, car l'araignée du plafond, comme elle est sur un fil, était déjà là.

p. 63 : GAZON

p. 66-67 : K (un - chat - pot - dé - p eau - lit - scie - é)

1. Un coffre-fort
2. Sensible (100 cible)
3. Détente (dé tente)
4. Un pâté de maisons
5. Une épinette (épi net)
6. Vertige (ver tige)
7. Une botte de foin

Code secret du n° 17 :
SOLEIL

p. 68 : 1. E 2. C 3. F 4. A 5. B 6. D

p. 52-54 : 1d, 2a, 3b, 4c, 5b, 6a, 7b, 8c, 9d, 10b

DANS LA MÊME COLLECTION

DÉLIRONS AVEC LÉON

ANNIE GROOVIE PRÉSENTE
DÉLIRONS AVEC Léon!
DES TRUCS TOUJOURS PLUS SURPRENANTS
NUMÉRO 10
Farces
C'est pas sorcier!
Bandes dessinées

DÉLIRONS AVEC Léon!
DES TRUCS COMPLÈTEMENT HILARANTS
NUMÉRO 11
Métier Super Cool

ANNIE GROOVIE PRÉSENTE
DÉLIRONS AVEC Léon!
DES TRUCS VRAIMENT INCROYABLES
NUMÉRO 12
Farces
Soyez convaincants
La réflexion de Léon
Mon œil!
Énigmes visuelles

ANNIE GROOVIE PRÉSENTE
DÉLIRONS AVEC Léon
13
BD, GAGS, JEUX ET PLUS ENCORE!
SPÉCIAL «TREIZE» ÉTRANGE...

ANNIE GROOVIE PRÉSENTE
DÉLIRONS AVEC Léon
14
BD, GAGS, JEUX ET PLUS ENCORE!
Je suis très bon pour créer...
... surtout des ennuis!

ANNIE GROOVIE PRÉSENTE
DÉLIRONS AVEC Léon
15
BD, GAGS, JEUX ET PLUS ENCORE!
Tiens, c'est pour souligner ton anniversaire!

ANNIE GROOVIE PRÉSENTE
DÉLIRONS AVEC Léon
16
BD, GAGS, JEUX ET PLUS ENCORE!
Ah, les vacances! Ça fait du bien de décompresser un peu.
!

ANNIE GROOVIE PRÉSENTE
DÉLIRONS AVEC Léon
17
BD, GAGS, JEUX ET PLUS ENCORE!
L'amitié, ça se cultive!
?!

ANNIE GROOVIE PRÉSENTE
DÉLIRONS AVEC Léon
18
BD, GAGS, JEUX ET PLUS ENCORE!
Je suis vraiment emballé!

Les éditions de la courte échelle inc.
5243, boul. Saint-Laurent
Montréal (Québec) H2T 1S4
www.courteechelle.com

Conception, direction artistique et illustrations : Annie Groovie
Direction du projet : Amélie Couture-Telmosse
Collaboration au contenu : Amélie Couture-Telmosse, Philippe Daigle,
Joëlle Hébert et Jean-Philippe Therrien
Collaboration au design et aux illustrations : Émilie Beaudoin
Collaborateur aux idées BD : Franck Blaess
Révision : André Lambert et Valérie Quintal
Infographie : Nathalie Thomas
Muse : Franck Blaess

Une idée originale d'Annie Groovie

Dépôt légal, 4e trimestre 2008
Bibliothèque nationale du Québec

La courte échelle reconnaît l'aide financière du gouvernement du Canada par l'entremise du Programme d'aide au développement de l'industrie de l'édition pour ses activités d'édition. La courte échelle est aussi inscrite au programme de subvention globale du Conseil des Arts du Canada et reçoit l'appui du gouvernement du Québec par l'intermédiaire de la SODEC.

La courte échelle bénéficie également du Programme de crédit d'impôt pour l'édition de livres — Gestion SODEC — du gouvernement du Québec.

Catalogage avant publication de Bibliothèque et Archives nationales du Québec et Bibliothèque et Archives Canada

Groovie, Annie

Délirons avec Léon

Pour enfants de 8 ans et plus.

ISBN 978-2-89651-085-6

1. Jeux intellectuels - Ouvrages pour la jeunesse. 2. Jeux-devinettes - Ouvrages pour la jeunesse. 3. Devinettes et énigmes - Ouvrages pour la jeunesse. I. Titre.

GV1493.G76 2007 j793.73 C2006-942113-7

Imprimé en Malaisie